바이타스의 순기

Cartel

11

JUN MOCHIZUKI

바니타스의 수기
Les Mémoires de Vanitas 11

Mémoire 57

이 형씨가 너희를 만날 때까진 절대 출국하지 않겠다는데.

시끄러. 별수 있냐?

사실은 어제 밤 여동 호에 상의하려고 했다고 ㅋㅋ

이제까진 줄곧 바니타스가 알려준 은신처에 몸을 숨기고 있었는데…

…출국? 프랑스를… 떠나려고요? 장 자크.

준비가 끝나는 대로 이 나라를 떠나야 한다고 했거든…. 그게 더 안전하다고.

응.

이럴 때 쓸 수 있는 방법은 나보다 혼혈인 이 녀석들이 더 많으니까.

…파리로 돌아온 후에 단테한테 제반 준비를 의뢰했어.

빤…

...꼭
직접

고맙단 말을
하고 싶었어.

노에….

바니타스
….

나와
클로에를
구해줘서
고마워.

내 피를
강제로
먹인 거.

네?

그리고…
미안했어,
노에.

'피를 매개로
기억을 계승하는
"아쉬비스트
(피를 폭로하는
엄니)"'.

'색소가
연한 머리에
진갈색
피부를 가진
방피르(흡혈귀)'.

나는
내 기억을…
너한테
떠넘긴 거야.

누군가가 우릴
기억해주었으면
해서,

클로에한테서
네 얘길
듣고,

그런
일은

아니…
조금은
신경 좀 써…
(라는 표정)

난 전혀
신경 쓰지
않으니까.

빠릿

신경 쓰지
마세요.

글쎄요?
나 말고 다른
'아쉬비스트'는
만나본 적이
없어서…

너무
미안하고…
면목이
없어서…

그 후에 난…
만약 내가
정반대
입장이었다면
어땠을까, 라고
상상하니…

'아쉬비스트'
라는
족속은 죄다
이런
식인가…?

노에.

형씨,
시간
됐어…!

…나 외에도
정말
존재할까요?

나 말고 다른 '아쉬비스트'를.

클로에 씨는... 알고 있는 걸까?

'클로에한테서 네 얘길 듣고—'

난

알고 싶은 걸까?

노에 ...?!

...?!

왜 그래?
노에.

바니
타스.

저….

슈슈로
돌아가자.

야.

?

…?!

하지만…

…타르트 타탕
먹고 싶었던 거
아니야?

먹고
싶어요!!

!!!

돌아갈게요!

Hotel Chou Chou

Mémoire 57
Au revoir -다시, 언젠가-

18세기 청년의 컬처 쇼크　　　이렇게 된 일일 것이다

고속 환복

―― 이것은

'이야기'다.

한 권의
책.

생(生)에서
시작되어
죽음(死)으로
끝나는 게
약속된

희망과

절망,

슬픔,

분노,

기쁨,

그 모든 것이
그 존재를
적기 위한
'기억'이자

'기록'.

망각은
용서인 동시에
상실이다.

―그래서, 우리는 기록했다―

'아쉬비스트
(기억의
보관자)'다.

아가씨.

네가 일부러 인간 세계를 찾아가다니, 얼마 만이지?

'생제르맹
백작'.

그리운
이름이지?

…지금은

뭐라고
부르면
되지?

참 신기하게도,
입에 올리는 소리를
바꾼 것만으로
자신의 존재가
적잖이 달라진 듯한
기분이 들어.

이름에

기억이
이끌려서
되살아나.

존재가 많이 흔들렸군….

언제부터 그런 상태였지?

'경계'에 매복해 있었던 거야.

그리고 나니 왠지 네가 보고 싶어져서.

정말로 예리한 눈을 가졌다니까….

…

나의 매 사통 (야기 고양이들).

오랜만 이걸?

좀 피곤한 일이 있었거든.

'이곳'에는 휴식도 할 겸 들른 거야.

하앗….!

정답이야, 정답.

여기라면 아무도 방해하지 않을 테니까.

수다…?

수다 좀 떨까, 아가씨.

싸우는 것도,
인간의 죽음도,
책 속의
정보에 불과한
어린 시절이었다.

내가
아빠한테서
이 단검을
받은 건

우리 조상은 목숨 걸고 방피르와 싸워 이 나라 백성들을 지켜왔다.

놈들이 다시 이 세계에 이빨을 드러내는 일이 생기면

네가 그라나툼 가의 인간으로서 방피르들의 목을 쳐야 한다.

무섭다.

아니야.

그런 식으로 생각하는 건 네가 선하기 때문이야.

누군가에게 상처 주는 것도, 상처받는 것도

싫다.

그렇게 생각하는 건 내가 겁쟁이라 그런 건가?

왜 사이좋게 지낼 수 없는 거지?

따
다
다

왜—.

...?!

안 움직여…!

몸이

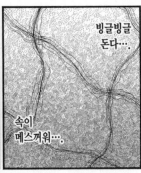

빙글빙글
돈다….

속이
메스꺼워….

날
알아보겠어?
아스톨포.

아스톨포!

멋있네요!

올리비에는
언젠가
샤세르(사냥꾼)를
통솔하는
팔라딘(성기사)…
기사님이 되는 거죠?

…올

비…
에…?

리

방——….

방끄르….

샤세르….

내…

여동생
은

허

무사…
한
가요…?

여

동

생.

죽었어.

항...

퀴퀴...

가노....

그만한 숫자의
방피르에게
피를 빨리고,
온몸에 마킹(소유인)이
남았는데
잘도 살아남았네.

가노!!

네 여동생도,
아버지도,
어머니도,
하인들도
죄~~다
죽었어!

그만해,
가노.

기왕 싸울 거면,
술안주로 삼게
내 방에서
싸우든가!

때와 장소 좀
가려,
이 바보들아!

그게
아니지,
밀라.

죽었다.

죽었다고?

알아.

모

두

다.

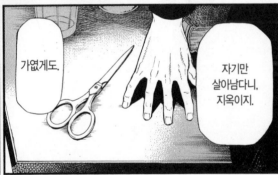

가엾게도.

자기만
살아남다니,
지옥이지.

후
욱…

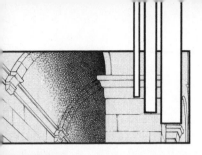

생명에
지장은
없어.

원래부터
쇠약해질 대로
쇠약해져 힘이
안 들어가는
몸이었거든.

혹시 몰라서
구속은
해뒀지만.

아스톨포
...!!

...얼굴 보러
안 가봐도
돼?

그 꼬맹이하곤
서로 잘 아는
사이잖아?

아스톨포와
그 여동생이
남몰래 누군가를
만나고
있다는 걸
알고 있었어.

…
나는,

나, 몰래
친구 만나러
다니고 있어요!

뭐 하고
다니는
거야?

마르코가…
너랑 동생이
요즘 저택을
자주 빠져나간다고
걱정하더라.

그 녀석이
말하는
'친구'가…
방피르일
가능성 따윈
생각지도
않았지.

내 과거와
겹쳐보며
낙관적으로
생각하고
추궁하지
않았어.

비밀
이에요.

알고
있었는데도,

미남.

인생에
가정을 하기
시작하면
끝이 없다고.

만약에
내가
그때…
좀 더….

후우

누가 좀.

오라버니….

왜…
날 지켜주지
않은 거야…?

살려줘.

살려줘.

너 때문이야….

그래, 너 때문이야.

아스톨포….

미안 해.

네가 방피르를 믿는 바람에.

이제 괜찮아.

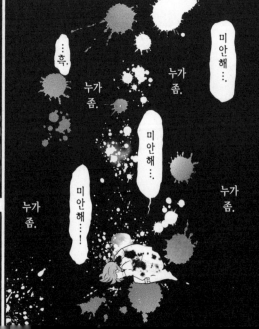

…흑.

미안해…

누가 좀.

누가 좀.

미안해…

미안해…!

누가 좀.

누가 좀.

아무것도 무서워할 것 없어.

그 외엔 아무도 가까이 오지 못 하게 하고.

—을 여기로.

뚜벅

자,

도착 했습니다.

네!

명령하신 대로 구속은 풀었는데… 정말 괜찮을까요?

네. 요즘은 상태가 안정되었다는 보고를 받았으니까요.

끼익…

다 다 닥…

뚜벅

뚜벅

도망치려
한 거지?

네…?

몰랐나?

스스로 죽음을
선택하는 건
하느님의 뜻에
반하는 행위다.

모든 고통은
하느님께서
내려주신
시련이라
생각해라.

도망치지
마.

나 때문에
다
죽었는데…?!

그것이…?

…시련…?

미움을 전부
너 자신이
아니라
방피르에게
쏟아라.

벌을 원한다면,
그 손으로
검을 잡아라.

그런데도
넌 살아남았고,
깨어났다.

너에게 남겨진
마킹 숫자는
스무 개가
훌쩍 넘었다고
들었다.

방피르의 힘이
독이 되어
몸속을 돌다가
널 죽음에 이르게
하려 한 거겠지.

…무얼
위해서
겠느냐?

팔라딘
으로서

아,

루이제트
(정의의 기둥)에
놈들의 목을
바치기 위해서다.

아니야!

무서워.

지금도
계속
무서워.

아무것도
못 해.

나,

나는
약하고,

왜냐
하면

나에겐…
그런.

그런데도
사라지질
않는다고…!

그때
그 뱀피르들은
다
죽였는데도,

내 몸에는
여전히…
마킹이
다섯 개나
남아있다고.

게다가…
들었어요.

이런, 이런 내가 팔라딘 이라니.

더러워.

깔끄득

마킹에 관해서도 똑같다고 볼 수 있죠.

상대가 상위 방피르일 경우, 목을 쳐도 변조의 영향이 남는 경우가 있어요.

네 몸은 더렵혀졌다.

그래.

이런, 기분 나빠.

더럽혀진 몸.

예전에 나도 끔찍한 표식이 남겨졌어.

나와 똑같이.

내 이름은
샤를르.

그 독은
지금도 여전히
날 침식하며
굴복시키려
달려들지.

그래도
나는
팔라딘이다.

당신...
은...

다...

끼익...

그에게
싸우는 법을
배워라.

너는 분명
강한 기사가
될 거야.

Mémoire *58*
Observation -틈새의 어둠-

좋은 선곡이야.

바흐의 《작은 푸가》로군.

뭘 가져왔는지는 일일이 기억 못 하지.

…그대가 들여온 장난감이지만.

같은 선율을 반복한다는 의미에선 비슷한 것 아닌가?

캐논도 좋지만, 난 푸가가 더 좋더라고.

…응.

전혀 달라.

유연하게 변모하며 자유로운 발전을 보여주는 푸가가

그라나툼 (석류석)의 비극을 얘기하기에는 안성맞춤이지.

엄밀한 모방 따원 재미없잖아.

Mémoire 59

그렇게 생각지 않아?

샤를르 님이?

총대장님이 직접 만나셨대.

그라나툼 가의 아들이 깨어났대.

그렇게
다 죽어가는
어린애를?

언젠가는
12번째
팔라딘으로…
만들
생각이신가 봐.

석류석이라면,
흑요석과 같이
지난 전쟁 때
큰 공헌을 한
집안이야.

와 하 하

만약 그 생존자가
원수를 갚기 위해
팔라딘까지
올라간다면!

방피르 섬멸파
입장에서
그 꼬맹이는
최고의 기치가
되겠지.

…어지간히도
대중들이
좋아할 만한
스토리가
완성되었군.

이래서 샤를르가 무섭다니까—.

그냥 그대로 죽게 해줄 것이지.

그 아인 지금 가족을 눈앞에서 잃은 쇼크와 자책감으로 만신창이가 됐어.

그런 아이한테 싸움을 강요하다니, 미친 거 아니냐고.

불만인가 보네.

당연하지!

탁…

…

안정적인 곳에서 상처를 치유하는 일에 전념하게 해야 해.

그래!

…

너 같은 녀석은 분명… 누군가를 깊게 미워해본 적이 없겠지.

너는 —….

그래…. 별것도 아닌 감정이지.

애초에 비교할 수 있는 수준도 아니겠지만—.

아스톨포의 경우와 비교하면…

나는 있어.

거기에 매달리는 것으로밖에 살 수 없는 인간도 있는 거라고.

미움이 사람을 살리는 경우도 있어.

하지만 그 미움이 지금 날 이 자리에 서게 만들었어.

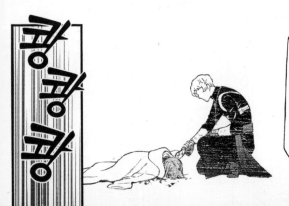

캉 캉 캉

네가 그걸 부정하지 마.

어떻게 해야 이 아이를 구원하고 인도할 수 있을까요?

—오늘은 방피르가 사는 '알투스(별세계)'에 대해 배웠어요.

저는 줄곧 지구와 마찬가지로

한 바퀴 빙 돌 수 있는 하나의 세계가 존재하는 줄 알았어요.

'알투스'는 바벨(혼돈)에 의해 탄생한 수많은 폐쇄공간의 총칭이야!

그 안쪽으로 들어갈 수 없게 되어있대.

각각의 폐쇄공간의 끝은 짙은 안개에 둘러싸여 있어서,

나는 당연히 가본 적 없지만,

좀 재미있는 것 같지?

폐쇄공간끼리는 '경계'로 연결되어 있고... 이건 인간계와 알투스 사이도 마찬가지야!

monde des hommes 인간계

frontière 경계

autre monde 별세계

Altus Paris -la reine- 알투스 파리 -여왕-

seigneur de l'autre monde 별세계 영주

seigneur de l'autre monde

seigneur de l'autre monde

그 '경계'를 어떤 방법으로든 없앨 수 있으면...

방피르를 멸망시킬 수 있을까요?

그건...
알투스로
방피르가
도망쳐 들어가
건드릴 수 없기
때문이잖아요?

이쪽
동네(인간계)에서
악행을 저지르는
방피르는
'교회'의 판단으로
사냥할 수 있게
되어있지만,

우린 지금
어디까지나
휴전 중이니까!

...으음
—...

글쎄?

순도 높은 것들은
대부분 알투스에서
나온다는 거
알고 있어?

우리가
소비하는
아스톨마이트
중에서

!

그것
뿐만이
아니야.

영
차...

인간은
알투스의
환경하에서
구하기 힘든
물자를 제공하고
있는 거야.

놈들한테서
아스톨마이트를
받는 대신

그 돌이
발산하는
푸른 빛은
방피르들에게
불길함의
상징이라

…그런 건
이상해요.

은혜…
라기보다는
무역?

이것도
휴전 협정으로
정해져
있을걸—?

이단자에게
은혜를 베풀고
있는 건가요?!

빼앗으면
되잖아.

아스톨
마이트가
필요하면

방피르
놈들
한테서도
모든 걸—!!

우리가
빼앗긴
것처럼

꽈악
…

무척이나
그 위선자를
잘 따르고 있는 것
같더군.

자꾸
시비
걸지 마,
가노.

시끄러워
오제.

'혈옥수
(血玉髓)'의
가노.

먼저
간다—

'구제'와 '헌신'을 의미하는 성스러운 돌을 하사받은 명예로운 팔라딘―.

―분명 그런데,

쿡...

깜짝 놀랄 정도로 악인 관상이야.

날마다 보고있는 사람과의 극비

알아. 롤랑 선생님의 즐거운 훈련 시간이지?

저한테 뭔가 볼일 있으세요? 갈 길이 급한데요.

그 녀석이 가르칠 수 있는 거라곤 천박한 슬랭 정도잖아.

…?

빈민가 출신의 걸레짝한테 상류계급의 도련님을 떠맡기다니.

총대장도 뭘 생각하고 계신 건지.

전————
————
————
————
————
————
————부 다!!!

롤랑을 욕하지 마세요.

그의 뭐가 그렇게 마음에 안 드세요?

입으론
고상한
소리만
늘어놓고
있지만

그놈이
믿고 있는 건
신이 아니야.

얄팍한
신앙심으로
감히 구제를
논하다니

돈
때문이야.

그놈이
샤세르가 된
이유를
알고 있어?

구역질이
난다고…!!

…
뭐라고?

…그렇다면
저도
똑같을지도
몰라요.

괜히 불필요하게 가까이 오지 말아 주실래요?

얼굴이 무서우니까.

야, 거기 서—.

얼굴이 무섭다고요.

쳇

아무리 기도해도 구원의 손길은 뻗어오지 않았다.

그때
나를 구해준
것은—

아스톨포!

롤랑.

롤랑
포르티스.

나의
하느님.

후우...

방피르에
의한
조직적인
인신매매.

그
아지트로의
돌입.

너무
긴장했다,
아스톨포.

첫 임무도
아닌데!

롤랑은
긴장감이
너무
없어요...!

간다.

내가
맡은
역할은

납치당한
인간 아이들의
발견과 보호.

…형.

우린
구하러….

안심
하세요.

휴우…

어…?

친해질 수
있어.

겁이 없어도,
싸우지 않아도,
상대를
제대로 알고자
노력만 하면

방피르도
나쁜 놈들만
있는 건
아니다.

내 가족은
샤세르의
팔라딘 손에
죽었어.

지금
기분이 어때?

죽일
필요
까진…

구제할
여지는
분명히
있었어.

용서를
받을 수도!!

롤…!

설령
방피르에게
마음을
빼앗겼다
해도

없었
잖아!!

시끄러!!

시끄러!!
시끄러!!
시끄러!!

그런 건 절대 용서받아선 안 돼!!

아스...

용서 못 해!!

비틀...

쿵

롤랑...

롤랑이

아스톨포의 교육 담당을 그만두고 싶답니다.

그래?

아스톨포는 롤랑에게 버림받았다고 느끼겠죠.

처음부터 이렇게 될 거라는 걸 예상하고 계셨던 겁니까?

롤랑은 내가 바란 대로 아스톨포를 키워주었어.

그걸 다 알면서도 요청한 거겠지.

그래.

스스로 미움의 대상이 되는 길을 선택하는.

구원할 수 없다면, 최소한

그리고 동경은 증오심으로 반전되고.

…다음은 어떻게 하실 겁니까?

그 하인과 아스톨포의 면회를 허락한다.

그런 사내야.

잘 이용해서 안정시켜.

죽었다고 들었는데,

왜…?

왜 이제 와서…!

하지만
안심하세요.

오늘까지 내내
도련님을
만나는 게
금지되어
있었습니다.

저택이 습격당한 날,
저는 홀로 도망쳐
숨어있느라
주인이신 어르신을
지켜드리지
못했습니다.

앞으로는
이 마르코가
계속 곁에
있을 테니!

무슨 짓을 해도
용서받을 거라
생각해?

이번에야말로
죽게 놔두지
않을 거예요!

'내 가족은 팔라딘 손에 죽었어.'

'내 가족은 뱀파이어 손에 죽었어.'

Mémoire 59
Fuga -오르골이 연주하는 것은-

—그럼,

방금 들은 이야긴
전부 루카 님께
보고하겠습니다.

조사에
협력해주셔서
감사합니다,
도미니크 님.

이 이후로는…

가급적 당분간은 알투스로 돌아오는 걸 삼가주세요.

이번 사건에 대해 잘못된 정보로 도미니크 님을 공격하는 자가 나타나지 않을 거라는 법은 없으니까요.

어…?

루키우스 대공 전하의 깊은 배려… 더없이 감사드립니다….

…

루카 님께서 사태의 상세한 내막을 주지시키실 때까지 오를록 경의 힘이 닿는 범위에 계셔야 할 것 같습니다.

잔느….

잠깐만.

벌떡

그럼… 저는 보고하러 돌아가야 —.

그건
—

하,

그럴 리
없잖아!

하지만
….

바들

바들

너한테
뭔가 잘못이
있다거나
그런 건
절대
아니니까

그것만은
믿어줬으면
좋겠어.

내 무능과
열등감이
낳은 것이지….

나 같은
애보다
훨씬
예쁘고…

넌…

?

강하고…
매력적이잖아?
그, 그래서—.

열등감
…?

Mémoire 60
디저트와 넋두리와 악수
Bonne journée

바니타스.

이 타르트
타탕,

너~~무
맛있어요!!

입에
음식 물고
말하지 마.

죄송해요!

...

아... 하지만... 한꺼번에 다 먹으면 아까우니까, 저녁 식사 후에 또 먹을래요!

먹어도 돼요?!

...아직 더 남아있어.

바니타스... 요...?

응... 그렇지.

그 사람... 크게 다쳤죠?

그 인간은? 안 만나보고 가도 되겠어?

...와락 끌어안아 골절시키면 안 되니까, 참을래요...!

쿡...

참을 줄도 알 대겠하며

그래?

도미가
슬퍼하면
괴롭고

도미를
상처 입히는
놈은
용서할 수
없어요.

무슨
말인지
알겠어요?

도미라서
중요한 거예요.

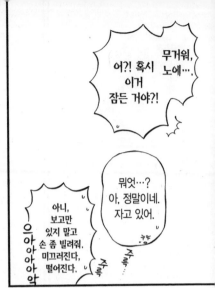

어?! 혹시 이거 잠든 거야?!

무거워, 노에….

뭐엇…? 아, 정말이네. 자고 있어.

아니, 보고만 있지 말고 손 좀 빌려줘, 미끄러진다, 떨어진다.

으아아아아악

주뚝…

주륵…

주륵…

…뭐, 그럴 만도 하지.

본래는 한동안 눈을 뜨지 못하더라도 이상할 게 없는 몸이니까.

헉

헉

아야

정말이지…, 정신이 하나도 없네…!

쿨…

난 죽일 생각 이었거든.

…

너와 노에가 싸우게 된 계기를 만든 건 나야.

…뭐?

네 탓이 아니야.

전부 내가 잘못—.

아니

하지만! 노에도 만만찮게 잘못했다고 생각하지 않아?!

노에가 미하일의 함정에 넙죽 걸려들지만 않았어도

나도 좀 더… 뭔가 다른 방법이 있었을지도 몰라.

응응…

머리에 피가 쏠려 돌진한 결과가 결국 저거잖아.

전투 불능에 빠진 것도 모자라 흡혈까지 강요당하고.

없었을 수도 있고.

알지~~~~~.

이 자식 말야.

자기 일에 관해선 단숨에 위기 감지 능력이 젖먹이 레벨로 퇴행하는 현상은 대체 뭐냐고?

내 앞에서만 해도 몇 번이나 죽을 뻔했는지 알아?!

툭하면 길을 잃는 주제에, 자긴 미아가 되었다는 자각이 없다는 게 환장할 노릇이야.

대화에 무게를 두고 있는 것처럼 보이지만,

결국 가장 먼저 손부터 나가지.

사람 속도 모르고 잘해주고.

남의 영역에 흙발로 저벅저벅 밀고 들어오고.

올곧고 치사해.

포기를 더럽게 못 해.

그래서 나는…!

그러니 내가 굽히는 수밖에 없잖아…!

마침 잘됐네.
너한테
이것저것
물어보고 싶은
것들이—….

인간치고는
노에를
아주 제대로
보고 있네.

너야
말로

뭐야,
도미니크.

너, 말이
꽤 잘 통하는
녀석이구나.

어~ 음...
어...! 네...!

후 후
후

끼익...

어머,
노에 씨.

도미니크 님과
바니타스 씨라면
둘이서
외출하셨어요.

깨어
나셨어요?

음냐...

음냐...

네
헤
...?

Entracte
막 간

이것은
바니타스 씨와
도미니크 님이
둘이서 외출하기
조금 전 일입니다.

...

정말이지,
거듭 미안해,
아멜리아!

어휴
~.

다...

당치도
않으세요.

어색

어색

제 옷인데도
사이즈에
문제가
없는 것 같아
안심이에요.

세탁 중 &
수선 대기

갈아입을 옷이
없다는 걸
까맣게
잊어버리고.

응…. 딱 한 군데, 확연히 천이 남아도는 곳이 있어 좀 놀라긴 했지만,

이거 참.

어,

어떡하지?

※안 들림

대단 하네

케이프로 가려지니까 문제없어.

막상 1대1로 얘기하게 되니….

바니타스 씨네가 같이 있을 때는 딱히 그렇지도 않는데,

빙글

빙글

소탈하게 대해주고는 계시지만…

도미니크 님은 본래 나 같은 촌부가 감히 만지는 것도 허락되지 않는 분인데…

빙글 빙글 빙글 빙글

뭔가 결례는 없었나? 애당초 내 옷이라니, 더럽지 않나…?!

노에, 깊은 수면 중.

바니 타스, 욕실에서 옷 갈아입는 중.

알아….

사드 가의
방피르라면
기분파에
향락주의자에
뭔가 위험하다는
이미지가
있으니까.

혹시
긴장한 거야?

…네?

아니야.
그 말이
딱 맞으니까.

절대
그런 건…!

'무슨 일을
저질러줄까'라며
사드 가를
오락처럼 바라보는
사람도 많아.

비위를 건드리면
목숨은 보장할 수
없다, 라며
공포에
떨면서도

내 언니오빠들이
웃는 낯 뒤로
뭘 꾸미…
생각하고 있는지
예상할 수가
없는걸.

육친인
내가 봐도,

뭔가 향수 뿌렸어?

어라?

화아...

아아....
발러 마스키
(가면무도회)
때처럼
포맨더(향낭)를
좀.

손끝...

...당분간은
이걸로
커버하는
수밖에
없어.

?

...

웃옷과
장갑만이라도
가급적 빨리
수선해줬으면
좋겠어.

...!

피투
성이...

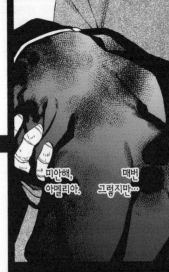

미안해,
아멜리아.

매번
그렇지만...

평소처럼
이걸로

구질...

창고로 쓰지 마

내 침대를

바니타스 씨도

그런 걸까?

'자신의 본질을
막으로 덮어 가리고,
다른 무언가로
보여주는 행위.'

나의 자랑스러운
위험한 친구들이 만든
특별 사양의 옷들이야.

이 방 안에
있는 것들은
전부

풀썩

곁에 둬서
마음
편안해지는 걸
골라봐.

자,
원하는
걸—.

노에 씨는
어떤 차림을
하고 있어도
노에 씨야.

훈훈

맛있
혹
네요

타르트
타탕

흐흑

깨워줬다면
나도
같이 가고
싶었는데….

너무해요,
바니타스도,
도미도….

Entracte 막간

Couche -정리하는 이야기-

또륵

그 말을 전할 수 있었다면

우리의 미래는 뭔가 달라졌을까?

Mémoire 61

그대는
우리와
너무 달라서.

아무도
그대를
이해할 수
없어요.

아닌데.

…꼭
그런 것도

*천학비재한
나도
이해할 수 있게
설명해주실 수
없나요?

그렇
다면,

※천학비재(淺學菲才) : 배움이 얕고 재주가 변변치 않음.

이건 또
듣기 참
거북한
말이로군.

그대의
계략에 대해.

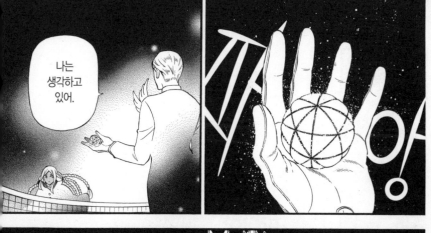

나는
생각하고
있어.

'우리'의
소망을
이루기 위한
길을.

떼굴

떼굴

계산하고
있어.

계속
계속
계속
계속

소망?

...

떼구르르

떼구르르

세계 평화
말이야.

장하다.

탱글

탱글

아이고
오~~옹.

발라당
누워있는 모습,
아휴,
귀여워~~♡

우리 무르짱,
벌써 밥
다 먹었쩌요
~~~?

빠
직

파
...

안 돼요, 바니타스.
제대로
노크 한 다음에
들어가야지.

죄송합니다,
파크스 님.
저희는 막았는데,
이, 이, 이 인간이
멋대로 문을 열어서.
죄송합니다….

지금 당장
그것들을
숯덩이로
만들어라,
녹스, 마네!!!

무르짱

무...
....

오를록
경.

상당히
시끌벅적
하네요.

기에에에
효
효효효
효

효
효

캬
얏
캬
얏

알겠
습니다
!!!!

날
부르셨다던데,

뭔가
문제라도
일어났나요?

빠악

문제 따윈
없어!

오늘 아침에

사드 가의 사자로부터 네 앞으로 온 편지를 받았어.

팔랑…

앙트완 오라버니 한테서야.

빠직…

!

특별히 죄를 묻진 않겠다— 라고.

이번 '부(인간 측) 파리'에서 일어난 흡혈 사건과 그에 따른 내 실태에 대해

그게 다야?

잘됐네요, 도미!

응….

선생님이

그 사람이
그러더라고.

한 핏줄은
아니라
해도,

그 녀석의
존재를 원
없애버리기
위해서

너희 조부의
수상한 행동은
사드 가로서도
간과할 수
없을 텐데.

'푸른 달의
흡혈귀를
되살릴 방법이
있다'고.

내가
이제껏
말하지
않았...!

미하일에게
알려준
건가요?

오를록도
원로원에는
이미
보고했지?

오랜만
이구나.

나의
메 샤통
(아기 고양이들)

없어.

생제르맹
백작에 대해
뭔가 유익한
정보는
안 적혀있어?

나한테
하는 말은
한 가지.

래.

'넌 아무것도 안 해도 된다'

...최근 한동안

누구도 그분에 대해선 아무것도 모르지.

그 생제르맹에 대해 나름 조사해 봤는데, 놀라울 정도로 수확이 없어.

그래서 더욱
다들 '그'를
두려워하는
거야.

...?

이렇게 된 이상.
역시
그 녀석들을
써먹는
수밖에 없나?

호랑이도
제 말 하면
온다더니.

철컥

파리의
꿀벌들.

여어!

뭐엇?

가면무도회에서 뵈었던 그… 철그럭철그럭 하신 분 말이죠?

철그럭…

맞아.

마키나 후작이라면 분명…

불쑥

엇? 루스벤 경보다도요?

통칭 '기계장치에 미친 마키나 후작'은 원로원 안에서도 가장 오랜 세월을 산 것으로 알려진 방피르야.

프랜시스 바니 경.

야…. 루스벤 경은 원로원 안에선 햇병아리나 마찬가지야.

그자한테 직접 생제르맹에 관한 이야길 듣고 싶어.

'항상 괴짜, 때로는 현자'로 명성이 자자한 마키나 후작이니

생제르맹 백작과 함께 여왕을 서포트 했던 시기도 있겠지.

오호라…. 그래서 담(혼혈)들인 거구나?

큭…, 느슨했다는 자각이 있는 만큼, 강하게 부정할 수 없군…!

도미니크…. 네가 다 받아주니까 이렇게 세상 물정 모르는 놈으로 자란 거라고…!

?

…

그게 무슨 뜻이죠?!

예전에는 담 사냥도 빈번하게 이루어졌어.

잘 들어! '담피르'는 인간들도, 방피르들도 기피하는 존재고,

담의 눈동자는 갑자기 그 색깔이 금빛으로 바뀌어 자신의 정체를 드러내 버리지.

인간계에 녹아들어 보려 해도

인간보다 신체 능력이 뛰어나지만,

방피르처럼 세계식에 간섭할 수는 없고,

스윽...

철구억...

길거리를 몰래몰래 기어 다니는 쥐새끼처럼 추하고 더러워!

하

인간도, 방피르도 될 수 없는 반편이야!

담이라는 이유만으로 멸시하는 태도는 케케묵었달까, 아름답지 못하다고 보는데.

이런 이런….

…?!

그런 담들의 뒷배가 되어준 게 마키나 후작이야.

그분의 표식을 받은 담을 죽이는 일은 설령 고위 방피르라 해도 꺼리지.

말하자면 뜻밖에도,

이 자리에서 마키나 후작과 인연이 가장 깊은 건 이 녀석들 담인 셈이지!

파 악

표면상 으로는 말이야.

'교회'도 충돌을 피하기 위해 함부로 건드리진 않아.

응.

평소 너희를 애용해주는 고객인 내가 보호자께 인사 좀 해야겠어!

자, 거마비는 얼마나 필요한지 말해봐, 단테!

…보호자 좋아하시네.

잠깐만, 단테.

전에도 말했을 텐데?

…단

테….

'담의 편은 담뿐이다' 라고…!

본래는 여기에 발을 들여놓는 것조차 허용되지 않는 몸이라는 걸 잊은 거냐!

파그스 님의 허락도 없이 말을 하다니, 이게 무슨 짓이냐? 담!

뭐…?

…고귀한 분의 속내는 감히 내가 헤아릴 수 없지만,

하…!

….

생존

…? '권'

거기 있는 담들이 이 방의 공기를 더럽힐 일도 없었을 텐데.

지금 파리에서 일어나고 있는 문제도,

프랜시스 바니 경이 담의 '생존권' 따윌 인정하시지만 않았어도

이 담들은 정보통을 자처하면서도 아무 성과도 거두지 못하고 있잖습니까!

파크스 님! 역시 2주간의 유예를 주시는 건 너무 친절한 것 아닐까요?

참견하지 마.

야, 담! 말을 삼가라고 좀 전에 말했을 텐데!

뭐라고? 이 대머리야.

명령만 하시면 지금 당장이라도 저희 남매가 그 담 두 놈을 잡아오겠습니다!

…이렇게 시끄러운 것들을 용케 양 옆구리에 끼고 계시구만.

너도 부채질하지 마, 인간.

무슨 그런…!! 약속한 날까지 아직 사흘이나 남았어요! 제발….

끼어들지 마! 담!!

그만해, 리체…!

시끄러…

저어.

다들 왜
담들의 이름을
안 부르나요?

뭐,

엇…?

푸훗

대화를 중간에
잘라서
죄송하지만…

말씀하기
불편하지
않나요?

이 담,
저 담,
그 담….

담
담
담
담

퀼퀼퀼

퀼퀼퀼

??!?

하지만
여기엔 담이
셋이나
있고,

얘길
듣다 보니…
제가
종잡을 수가
없어서.

나도 항상
'인간'
이라고밖에
안 불리고
있는데?

그거야
당연히

인간이
당신밖에 없으니
별로 혼란스럽지
않으니까요.

166

엇…?

피끗…

만약 그런 거라면, 미리 해둬야 얘기가 수월하게 진행될 거예요!

어라…?

도미도

단테 일행과는 자기소개를 아직 안 한 건가요?

파악

나는

전혀…

평범하게 편견 없이 접해와서…

담과는

분명…

난 또~ '담'이구나?

시끄러워.

거기 당신.

일부러 그러는 거야?

아니면, 정말로 그냥 무지한 거야?

Memoire 61
Jeu de paume
-손바닥 놀이-

주드폼

현대 테니스의 원형이 된 라켓 모양의 도구로 서로 공을 치는 구기.

옛날에는 맨손으로 직접 공을 쳤다.(여러 명이서 서로 공을 치는 행위는 기원전 이집트에 이미 존재했고 벽화로도 남아있다) 프랑스 왕 루이 10세도 이 구기의 애호가였다고 하며, 시합에서 지지 않으려고 너무 애쓴 결과, 건강이 상했다는 시가 남아있다.

프랑스 혁명 당시의 회화 <테니스 코트(구희장)의 맹세>에 그려져 있는 것이 이 주드폼의 구기장.

프랑스어로 '손바닥 놀이'를 의미한다.

Mémoire 62

아니면, 정말로 그냥 무지한 거야?

일부러 그러는 거야?

당연히 후자지!

이 녀석은 명실공히 그냥 바보야!!

저기요, 바니타스.

어… 어….

뭘 그렇게 뻔히 다 아는 얘길.

단테는 이렇게 말하고 싶은 거야.

...잘 들어, 노에.

'고귀하신 방피르 여러분께서 그 이름을 입에 올리는 일은 결코 있어선 안 되는 일이죠'라고.

'더러운 우리 담의 개체명 따윈 기억할 가치도 없습니다.'

뭐야, 내 말이 틀려?

...

너 이 자식...

에엑...?!

발언을 허락해 주시겠습니까?

오를록 경.

저기… 단테.

나는 ….

까딱

….

저희의 역부족으로 그러지 못한 걸 진심으로 사죄드립니다.

…본래는 이번 사건 해결에 대한 좋은 보고를 올려야 하지만…

...

좋아.

날을
다시 잡아
보고하러
오겠습니다.

그러니…
더 이상
이곳의 공기를
담의 말로
더럽히는 걸
피하기 위해

기한 내에 사태를
수습하지 못하면,
담 전체에
그 책임을
묻겠다는 걸.

하지만
잊지 마라.

감사
합니다.

퀵
…

알고
있습죠
〜〜 ♡

네
〜〜〜
〜〜〜
♡

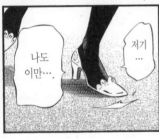

나도
이만….

저기
…

뭐야,
그
태도는?!

하
악

?

덥석

왜
그러세요
〜

도미?!

도미니크는
당분간
내버려둬.

우리도
조금 있다가
나가자.

네
...?

네?

왜요,
바니타스?

넌
정말...

하아...

놓아주세요

뿌벅...

뿌벅...

담들은...
심한 차별을
받고 있나요?

...바니
타스.

시끄러워.

177

하지만

....

날이 좀
쌀쌀해졌군...

···아까
내가 한 말은
대체적으로
사실이야.

차별은
천지사방에
넘쳐나고
있지.

담만
특별한 건
아니야.

차별받는 이가
다른 누군가를
차별하는 것도
흔히 볼 수 있는
구도고.

차별을
정의라고
생각하는
사람.

자신의
차별에
무자각인
사람.

너는

단테가
왜 분노를
드러낸 건지
잘 모르겠지?

너의
그 눈동자는
그 '개체'를
똑바로 쳐다봐.

누군가를
접할 때

눈앞에 있는 상대가 위험한지 어떤지 판단하려면 정보가 필요하니까.

그것 자체는 별로 나쁜 일은 아니야.

하지만 단테 일행은 달라.

그 녀석들은 항상 비호감과 멸시를 받으며 '개체'로서가 아니라 '담'으로서밖에 인식되지 않아.

네가 이제껏 무지하게 살 수 있었던 건

특수한 좁은 세계에서 살아왔다는 점과…

무엇보다 상대방이 해로운 사람이었다 해도 목숨을 지킬 수 있을 만한 힘이 있었기 때문이야.

주변 사람들을 '담'이냐, '그 외에 다른 것'이냐로 판단하고.

그래서 단테도 그와 똑같이

노에라는 '개체'이기 이전에 '방피르'라는 가해자 측의 존재라는 뜻이지.

말하자면 그 녀석한테 너는

····

시무룩····

····야.

노에 씨! 바니타스 씨!

좀 알 것 같아요····

····단태가 왜 그렇게 화낸 건지

리체 씨…?!

다행이다…. 아직 여기 계셔서.

헉

헉

!

저기…

어??

?

야마는 적송했습니다!!!

응응… …

아노 말씀
아노 하세요

아노 말씀
아노 하세요

말씀
하세요

말씀
하세요 ♪♪♪

'먼저
말씀하시죠'의
응수가
끝나지 않아
너무 눈에 띄어
밖으로 나옴.

저는 아까…
단테가
무례한 태도를
취한 것에 대해
사과하고
싶어서…

방피르인
제가…
아무것도
모르고
무례한 질문을
하는 바람에…

단테한테도
같이
돌아가자고
했는데,

그 녀석,
기를 쓰며
말을
안 들어서…

무슨
그런….
단테는
잘못
없어요.

하아
아아

그 녀석…
담과
관련된 일에는
시야가 대번에
좁아져서.

아뇨.

단테도
잘못했어요.

…우리
담들에겐

이름을
불리지
않는 일이
너무
당연한 거라

오를록 경 쪽의
그런 태도에도
너무 익숙해서

현 상황을
자연스럽게
받아들이고
―….

그래서
노에 씨.

당신이
그 자리에서
'왜'냐고
말씀해주신
거―.

아니…
포기하고
있었던
건지도
몰라요.

다들 왜
담들의 이름을
안 부르나요?

저는
기뻤어요.

그거 진짜
엄청
재미있죠—!!

어—?
노에 씨,
그 〈크레스니크의
모험〉을 읽어본 적
있으세요—?!

뭐야
뭐야

단숨에
의기투합
했네?

으...

꺄
하
하
하
하
하

노에 씨,
너무
극단적
이시다—!!

하지만
담에 관한
지식이
그 책에 나온
정보뿐이었다니,

그런 건
몰래 읽어야
좋은 거니까!

당연히
일반에는
유통되지
않죠.

용케
출판되었네.

그나저나
담이
주인공인
이야기라니….

단테는 항상 '이딴 건 그냥 지어낸 이야기'라며 무시했지만.

하아…

담 중에도 '크레스니크' 같은 영웅이 있다고 생각하면 가슴이 막 떨렸어요…!

그 어떠한 방피르의 힘도 무효화시켜버리는 황금빛 눈동자!

살짝 맹한 성격 또한 매력적이고,

흐쭉 흐쭉

아잉…

까아~악

피끗 피끗

글자 읽는 법을 몰랐던 저 대신에.

제가 조르면 그 책을 몇 번이고 읽어줬어요.

…그래도

게다가 전부 다 지어낸 이야기라곤 생각지 않아요.

예전에 마키나 후작이 '크레스니크는 실재한다'라고 하셨으니까!

!

…그래도 알아요.

없어요 ….

넌 마키나 후작의 알맹이를 본 적 있어?

거기서 드러나는 모습은—

그 무거운 갑옷을 벗어 던졌을 때,

그렇게 괴짜라 불리는 분이

그 망할 영감탱이…!!

반짝반짝 빛나는 왕자님 타입의 미남 대장부라는 게 세상의 통념이니까!!

난 마키나 후작이 수염이 차밍하고 색기가 철철 흐르는 아저씨일 거라 믿어!

바보 같은 소리!

그건 그냥 네 소망이잖아.

시끄러! 꼭 이런 때만 골라 연락 안 주는 무용지물은 빌어먹을 영감탱이로 충분해!

단테, 말할 땐 조심 좀 해.

됐어됐어, 네 심정 다 아니까.

아파는...

...크...

아...

!

...이제야 겨우 제 컨디션이 돌아온 모양이군.

후훗

아무리 그래도 그렇게까진 생각하지 않아...

노에를 보면 가끔 '무지하다고 아무 말이나 해도 용서받을 거라 생각하지 마'라며 뒤에서 푹 찌르고 싶어질 때가 있지.

난 우리 담 문제는 담 사이에서 해결할 생각인데.

리체는 바니타스 일행에게 사건에 대해 말해줄까?

글쎄? 말해주지 않을까?

누굴 의지해서라도 이 사건을 꼭 해결하고 싶다는 리체 녀석의 심정은

나도 알아.

두 분에게 부탁이 있어 돌아온 거예요.

사죄와는 별도로

...실은,

바니타스 씨,
노에 씨,

우리 담들에게
힘을 빌려주실 수
없을까요?

그리고
보니

담피르가 파리에서
이상한 약물을
퍼트리고 있는 것
같더라고.

생긴 건 그야말로 봉봉 과자 같대.

그 약의 이름은 '멜(벌꿀사탕)' 이라고 했던가?

...그게 무슨 문제라도?

네가 웬일로 밖에 나온 것도 그것 때문이지?

박해받는 대상인 담피르에게 행운, 번영의 상징인 꿀벌이라는 이름을 붙여주다니,

참으로 애정이 깊어.

담들을 '꿀벌'이라고 부르기 시작한 건 분명 너였지.

흐음? 뭐, 상관 없지만.

꿀을 모으기 위해 날아다니는 이들...이라는 의도에 지나지 않습니다.

파리 도처에 설치된 양봉 상자와 마찬가지로

꿀이란 곧 정보.

뭔가 문제가 일어나더라도 본래는 경찰대가 대처해야 하는 문제야.

그것만 보면 아편과 별반 다르지 않지.

'멜'은 도취감과 행복감을 안겨주는 대신, 높은 의존성을 가졌어.

'인간의 피를 빨아먹고, 눈이 붉게 빛나더라'라는 목격 정보가 나올 때까진.

'"멜"을 섭취한 자가 이성을 잃은 것처럼 날뛰기 시작하고'

이렇게 되면 '교회'도 무시할 순 없지.

약 피해자는 뱀피르 쪽에서도 나오고 있다니까,

오를록 소년은 이를 계기로 담을 제거하려고 획책하고 있을지도 몰라.

딸그랑

…그런 것보다

그냥 세상 돌아가는 이야기야.

…그걸 나한테 설명해서 뭘 어쩌라는 거지?

언제까지 내숭 떨고 있을 셈이지?

아가씨.

내 앞에서 과거의 위엄을 유지하고 싶은 것도 이해는 가지만,

너랑 이렇게 직접 얘기하는 건 분명 100년 이상 오랜만이고,

…뭐?

굳이 부끄러워할 필요는 없다고 보는데?

너무 오랫동안 산 사람은 많든 적든 간에 **중간에 캐릭터가 변하는 법**이니,

바들…

그러니까 더 이상 무리하며 예의 차리지 않아도 돼!

그리고 단순히 거기에 맞춰주는 것도 질리기 시작했고.

게다가 넌 원래부터 현명함으로 단단히 무장했다고 착각하는 덜렁이고,

나와 함께 있던 시절부터 차고 넘칠 정도로 수상한 존재였잖아!

하 하 하 아 하 하 하 하 하 하 하

... 하핫.

핫 하 하

하앗 후후 후.

199

본보야지
(좋은
여행이
되기를)!!

으랏차,
다녀오너라,
공아!

아하하.

이제야 겨우
진짜 너를
만났으니까.

아이고.

왜 웃고
난리야?!!

활력에 찬
지금의 너도
매력적이야.

...삶을
권태로워하던
예전의
네 눈동자도
좋았지만,

나의 벗,
마키나
후작.

그래그래, 그 옆에 있는 안경 낀 형씨도.

그 옷, 담 정보통 맞지?

거기 있는 빨강 머리 형씨♪

Memoire 62
Bourdonnement
-광상(狂想)의 날갯소리-

Special Thanks!

미나즈키 카나데 씨

미즈킹 씨

노엘 선생님

아야하마 SAYA 씨

코이데 카호 씨

사와이리 다이치 씨

담당 오가사와라 씨

디자이너님

취재에 협력해주신 여러분

감사합니다!

——————— and You!

〈바니타스의 수기〉
기대해주세요.

제 1 2 권

영코믹스

바니타스의 수기 11

2024년 8월 23일 초판 인쇄   2024년 8월 31일 초판 발행

저자 ········ Jun Mochizuki

번 역 : 오경화   **발행인** : 황민호
콘텐츠1사업본부장 : 이봉석
책임편집 : 윤찬영/장숙희/조동빈/옥지원/이채은/김다영/김성희
발행처 : 대원씨아이
서울특별시 용산구 한강대로15길 9-12 전화 : 2071-2000 FAX : 797-1023
1992년 5월 11일 등록 제1992-000026호

ISBN 979-11-7288-032-3 07830
ISBN 979-11-334-5239-2 (세트)